藝　文　叢　刊

書法正宗

〔清〕蔣　和　等著
石連坤　點校

浙江人民美術出版社

圖書在版編目（ＣＩＰ）數據

書法正宗/（清）蔣和等編著；石連坤點校. --杭州：浙江人民美術出版社，2023.2
（藝文叢刊）
ISBN 978-7-5340-9836-9

Ⅰ.①書… Ⅱ.①蔣… ②石… Ⅲ.①楷書-書法 Ⅳ.①J292.113.3

中國版本圖書館CIP數據核字（2022）第247908號

出版説明

《書法正宗》四卷，清蔣和編著。蔣和（一七三四—一八〇八，一作一七三四—一八一〇），字仲和，一作重和、仲淑，號醉峰、最峰，因祖父蔣衡號拙老人，故又自稱江南小拙，江蘇金壇人，後徙居金壇。少爲諸生，以善篆隸書，薦充四庫館篆隸總校。乾隆五十一年（一七八六），欽賜舉人，官國子監學正。蔣氏精小學，工書法，善畫山水、人物、花卉。所作指畫墨竹，參以草隸奇字之法爲之，或畫竹既就，以指補石，尤爲别致。著有《寫竹簡明法》《漢碑隸體舉要》《説文集解》等。

《書法正宗》是一部旨在爲初學者講解書法的基本技法和臨習規範的文獻。在書中，蔣氏精心編選前賢舊言，結合自身的見解和經驗加以申説和闡發，向書法學習者指示門徑，所謂「童而習之，至老而不可廢者」。全書共四個部分：第一部分爲《筆法精解》，講解執筆、運筆以及用墨；第二部分爲《點畫全圖》，採用圖文結合形式，講解各種筆畫運筆及應用方法；第三部分爲《分部配合法》，乃王澍與蔣衡合著，卷首有「金壇虛舟王澍、湘帆蔣衡同著，海鹽鯤扶錢延鵬藏本」字樣，講解各個構字部件在書法中的運用規律；第四部分爲《全字結構舉例》，精選結構有代表性的漢字予以臨寫示範，注明書寫要點。同時，書後還附有《重定九宮格》（蔣驥製）、《分筆先後》以及《學書雜論》等内容，分别就摹寫所用欄格、筆畫順序等進行了總結。總之，該書講解細緻，結構清晰，誠如蔣士銓序言中所言「反復提命，不啻提後生臂腕而訓之」，對於書法學習頗有裨益。

《書法正宗》初刊後坊間翻刻成風，故傳世版本較多，有乾隆四十七年（一七八二）原刊本、道光十六年（一八三六）刊本、咸豐元年（一八五一）年刊本、光緒四年（一八七八）刊本等，另外還有易名爲《習字秘訣》予以行世者。本次整理，以清後期翻刻本爲底本，予以標點整理。另外，限於製版原因，《全字結構舉例》部分的範字無法於正文中體現，故將該部分又以影印形式附於書後，以便閲讀。本書出版時間倉促，尤其是整理者水平有限，錯訛在所難免，望讀者多加批評指正。

目録

蔣士銓序

書爲六藝之一。古來臨池家好學深思，心知其意，各成其名。求所以教人之法，則妙處不傳，使人自通而已。惟上智之士，心領神會，能達其旨趣而盡其變化之道。中人以下，每苦問津無從，望洋向若而歎耳。家仲和禀質敏慧，於六書之學蓋三折肱于其間。既著《隸通》一書，梯航學古者，而竊懼真書通行者之弗傳其奥，乃復輯《書法正宗》四卷，反復提命，不啻提後生臂腕而訓之。凡天地未洩之秘，皆於筆舌宣露無遺。鴻荒甲子至今，所渾淪而橐籥者，至此鑿破混沌，吾恐真宰欲泣矣。虞、褚、顔、歐而下，繼武而興者，當奉此爲導師。嗚呼，使凡制作皆有人提撕若是，未必能事盡讓古人也。予四齡，太宜人斷竹絲爲波磔點畫，攢簇成字，使之辨識。六齡，始學執筆。今老而無成，倘早覯兹編，則升堂入室，階陛門户，井然丁循。藝林考工之記，舍此曷由哉。辛丑六月廿四日，鉛山士銓定甫氏拜序。

自序

嘗讀《筆陣圖》，謂藏之石室，千金勿傳。魯公得長史筆法，亦歷時久遠。疑作者故鄭重其辭，欲後人勿輕視也。吾先人書法，兩世媲美，議論俱有成書。和生也晚，未見祖顔。先君子口授諸訣，稍知一二。奈質性魯鈍，學之廿年，功用屢遷，未臻其極。和初習顔、柳未成，即從轍董、趙，頗邀時譽。自先君子見背後，始懼前業之將墜，奮志臨《醴泉銘》《廟堂碑》，而法外之意，如有所得，惜乎不得趨庭以相證矣。嗣臨蘇、米各家，奇宕縱逸，若不可思議，而繹其旨趣，并參以先祖之書法論及先君子之續論，恍然於河源山脈皆本二王，更於《蘭亭》《樂毅》《霜寒》《告誓》各帖沈潛索玩，尤喜《十三行》章法，日課之餘，橅仿共百數十本。瞻前顧後，惝恍迷離，堂奥難窺，望洋增歎。古人云「學然後知不足」，豈不然哉，豈不然哉。雖然，行遠自邇，登高自卑，書雖小道，寧獨異是。尺寸繩墨，立之于始，乃無岐趨。唐人法度，入道之周行也；晉魏精詣，大成之妙境也。爰採摭群言，稍參末議，爲《書法正宗》一編。先之以筆法，而點畫次之，分部及全字又次之，共成四則，皆作書之規矩，童而習之，至老而不可廢者也。和以衣食奔走，學識荒蕪，就所見聞，漫爲釐定。如欲行至遠之途，精神先其步武，即記其已經之程。又如工人範鏡，鏡成不敢自貌其妍媸矣。倘有善書者，不吝所秘而教我，則幸甚，烏敢溺於愛鶩之説，而自止其所進耶。乾隆己亥孟夏，江南醉墨後生蔣和識於都門之十椽書屋。

筆法精解

執筆指法

大指上骨節出，大指、中指、食指三指尖鈎筆，名指爪肉之際揭筆令向上，中指、名指兩相抵住。

執筆有雙鈎、單鈎之説。單鈎者，搦管於指骨之首節也。雙鈎者，搦管於指骨之次節也。指謂食指、中指。此圖係單鈎式。

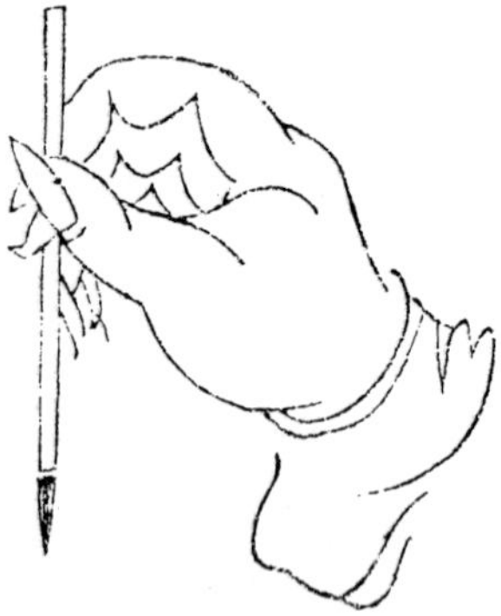

腕豎則鋒正，鋒正則四面勢全。次實指，指實則筋力均平。次虛掌，掌虛則運用便易。

五指齊用力，而肘腕助之。指之執管宜淺，易於運轉。若置筆當指節彎處，則碍轉動。

真書執筆宜近頭，行書宜稍遠，草書宜更遠。遠取點畫長大，近取分布齊均。

執筆須堅，運筆須疾，筆法須活。

指法名目

是章言體也，未動也。前人謂之撥鐙法，謂如善御者之僅以足尖踏鐙也。或謂執筆之勢，仿佛指尖持物以挑撥鐙心者然也。

擫：大指上節端用力，與食指擫。

壓：食指壓之，亦用指端。

鉤：中指尖鉤筆。

貼：筆管貼着名指爪肉之際，此指得力，字無不精。

輔：小指緊靠名指後。

指法運用名目

是章言用也，用者運轉時往來順逆之道也。運用之法，小字運指，中字運腕，大字運肘。蓋寸以内法在指掌，寸以外法兼肘腕。

推：名指從右平推至左，横畫起勢用之。從下直推至上，直畫起勢用之。又小指亦推名指過左。

揭：名指爪内之際擡筆管向上。

抵、拒：名指、中指兩相資藉爲用，名指揭筆而中指節制之。

導：小指引名指過右。

送：小指送名指過左。大字盡一身之力而送之。

卷：筆筆相生，意思連屬，勢如卷出。蓋力到筆到，旋轉如打圓圈也。知卷，則字無不一氣貫注。

肘腕用法

大字推送即用肘腕，但以肘腕論，其名又微有别耳。

懸肘：大字用之。

虚肘、懸腕：中字用之。

虚腕：小字執筆近頭，肘腕不着案，似虚其中。

指腕形勢

名指揭上：作仰畫及豎之起筆，至上半截並用之。

雙指鈎下：謂名指、中指。直畫力行用之。

斜指擡筆：挑法用之。

右揭腕、指左斜：小指與下腕向右下行筆，亦輕擡而出，撇法用之。指法之卷，其形勢亦如此。

左揭腕、指右斜：雙鈎筆用力抵拒。背抛戈法用之。

筆管形勢

正直：起筆、收筆。正直以待作書。及其運也，上下斜側，惟意所使。至筆既定，端若引繩。此之謂筆正。

向上：名指揭上，筆管下節隨之上。

向下：雙指鈎下，筆管下節隨之下。

向上左斜：直畫須推上，筆管下節向上左出，作斜勢落下。又顧左顧右勢，筆管先斜而後落。

向左下斜：撇至末鋒卷處，筆管斜而向下。

向右下斜：字之收筆有用此勢者。用意拱對字之中心，惟預想字形方能解此。

筆法名目

是章言筆畫已着紙，凡法俱在畫中，有形象可尋者也。

提：頓後必須提，蹲與駐後亦須提。提者，以筆提起，減於頓之分數及蹲與駐之分數也。先有落筆，後有提筆。提筆之分數，亦看落筆之分數。

轉：圜法也。有圓轉迴旋之意。

折：筆鋒欲左先右，往右回左也。直畫上下亦然。

頓：力注毫端，透入紙背，筆重按下。

挫：頓後以筆畧提，使筆鋒轉動，離於頓處。凡轉角及趯用之。挫有分寸，過則脱節，不及則氣促。

蹲：用筆如頓，特不重按。

駐：不可頓，不可蹲，而行筆又疾不得，住不得，遲澁審顧，則爲駐。凡勒畫起止用之，又平捺曲處用之。力聚於指，流於管，注於鋒，力透紙背者爲頓，力減於頓者爲蹲，力到紙即行筆爲駐。

搶：意與折同。折之分數多，搶之分數少。折之分數實，搶之分數半虛半實。圓蹲直搶，偏蹲側搶，出鋒空搶。空搶者，取折之空勢也。筆燥則折，筆濕則搶。筆燥實搶，筆濕空搶。用搶分寸，仍隨落筆之大小輕重。

尖：用於承接處。

搭：筆鋒搭下也。上筆帶起下筆，上字帶起下字。

側：指法運用，側勢居半，直畫尤宜以側取勢。

衂：筆既下行，又往上也。與回鋒不同，回鋒用轉，衂鋒用逆。

畫須平，豎要直。分左右，辨輕重，明上下。學布白，知收放，量分寸。講筆法，審偏讓，識次序。

初學宜用湖筆，童子指腕力弱，借筆毫以助之。至筆法純熟，可隨意施用。

以上諸法，名家所不能廢。然初學即宜習之，自指法第二以下，則俟功候將至，學力可成，縱觀諸帖，自能解領。仲和記。

指法名目第二

拖：五指齊用力。向下或右行有之。

曳：拖與曳相似，其稍異者，曳法畧具頓跌。又似勒意，似挫意。捺法抑而復曳。

撚：撚者，用筆之機也。蓋作字貴乎結構。結構具矣，字形貴活。字形活矣，又在點畫等活。惟撚筆方知其妙，妙如户樞之轉。

筆法名目第二

過：十分疾過。凡字有一主筆，虚舟老人所謂立柱是也。主筆須平正，他畫則錯綜用意。作楷知此，便不呆板。

縱：筆勢放開，所謂大膽落筆也。學李北海書，則知操縱之法。《書譜》云「既知平正，務追險絶。既能險絶，復歸平正」。

勁：善用縱筆，必以勁取勝。蓋縱而能勁，則堅實。

打：空中落筆。

趯趔：初學提活蹲輕，則肉圓老成。提緊力行，則肉趯趔，所謂如萬歲枯籐也。山谷書多戰掣，今學之者皆矯揉而成，不知用力太過有此。

出鋒：禿穎作書謬矣。唐宋碑刻，無不芒鍛銛利。運筆之法，斜、正、上、下、平、側、偃、仰，八面出鋒，始筋骨内含，精神外露，風彩焕發，奕奕有神。

沉着：諸法純熟，筆無游移，方能沉着。先君子論書云，筆畫如刻，結搆如鑄，間用躁筆，如抽繭絲。惟知篆隸，方能解此。

潔净：如皓月流天，無纖雲蒙翳也。從顔、柳起手，參以歐、虞，自得之。

疾澁：宜疾則疾，不疾則失勢。宜澁則澁，不澁則病生。疾徐在心，形體在字。得心應手，妙出筆端。

跌宕：熟極而化，方能跌宕。此境不可强求，若勉强，非浮滑率易，則怪僻無度。

絲牽使轉：絲牽有形迹，使轉無形迹，牽絲爲有形之使轉，使轉乃無形之牽絲。

渡：一畫方完，即從空際飛渡，以成二畫，筆勢乃緊乃勁，所謂形現于未畫之先，神留於既畫之後也。

留：筆機往矣，要必有以收之。筆鋒盡矣，要必有以延之。所以展不盡之情，蓄有餘之勢也。米老曰，無垂不縮，無往不收。

用墨

墨淡則傷神彩，太濃則滯毫鋒。

研墨恰好可以適用，過研則乾燥滯筆。

東坡用墨如糊，云須湛湛如小兒目睛乃佳。古人作書，未有不濃用墨者。晨起即磨汁升許，供一日之用。及其用也，則但取墨華而棄其餘滓。所以精彩煥發，經數百年而墨光如漆，餘香不散也。至董文敏始以畫法用墨，初覺氣韻鮮妍，久便黯黯無色。然其着意書，未有不濃用墨者，觀者未之察耳。

行艸用墨與真書不同。《書譜》云「帶燥方潤，將濃遂枯」，《續書譜》云「燥潤相雜，潤以取妍，燥以取險」，皆論行草用墨也。

點畫全圖

起手訣

童子作書，先教以手腕運用諸法，乃學點畫體勢，須使筆筆皆有準繩。既能點畫，即講明偏旁配合諸法，然後可論全字之結搆。蓋書法小道，亦有成規，循序而進，不容躐等耳。

用粉版逐筆雙鈎刻上，看明筆意，習之如廓填法，用淡墨水寫，可以辨毫端分寸。圖中又有小圈，圈又略分大小，以別頓駐之輕重。

初學不妨有稜角，故圖中間集歐體，使規矩可尋，確實依傍。由此神而明之，去方就圓，高步晉魏，亦存乎其人耳。

初學先宜大書，勿遽作小楷。從小楷入手者，以後作書皆無骨力。蓋小楷之妙，筆筆要有意有力，一時豈能遽到？故宜先從徑寸以外之字盡力送足，使筆筆皆有準繩，乃可以次收小。古人先於點畫及偏旁研究習熟，然後結字。

平畫法

橫畫須直入筆鋒。學橫畫，先須成點，蓋下筆成點而後行也。

折起	屻落	成點	提走	力行	住挫	頓圜	提收

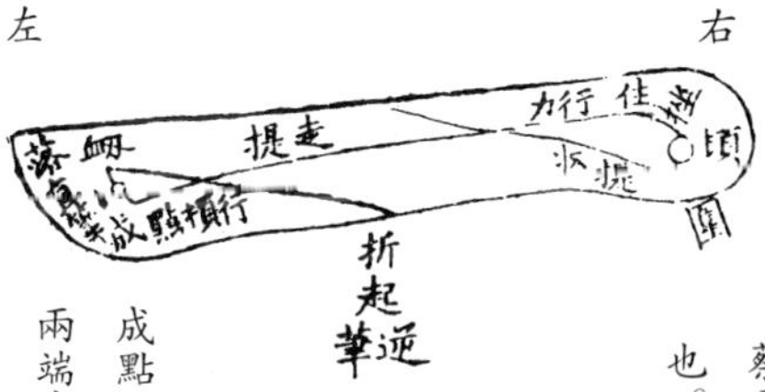

蔡君謨專長如烏絲闌，以兩旁如界也。橫直畫皆然。圖用雙鈎，近此意。

畫中加黑綫，以明筆意。下倣此。

成點後，轉筆頓行。

兩端有◯，頓筆也。

下倣此。

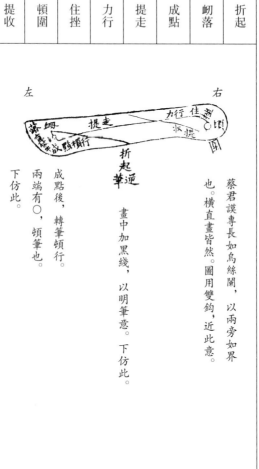

左尖

畫有宜用左尖者，凡接左向左處用之。如「寸」「才」之在右旁是也。

右尖

畫有宜用右尖者，凡向右讓右處用之。如「木」「才」之在左旁是也。

勒

勒意

斜指擫筆，筆管不得過直。勒意，首尾俱低，中高拱，如覆舟樣。八法論曰，勒常患平，平如萬斛舟之平穩，勒如輕舟疾過。大約字之畫多者必用勒畫，如「書」字有八畫，不可概用重筆。

直畫法

直畫須横入筆鋒。直畫起筆處不用力，雖極短不得直。

側起	屻落	成點	頓（下行）	提走	力行	頓（輕）	圍滿	提挫（斜）	屻	重頓（足）	提趯

逆筆横入，取勢在畫之外。

逆筆法，將指推筆直上寸許，落下得之。

細○，輕頓也。

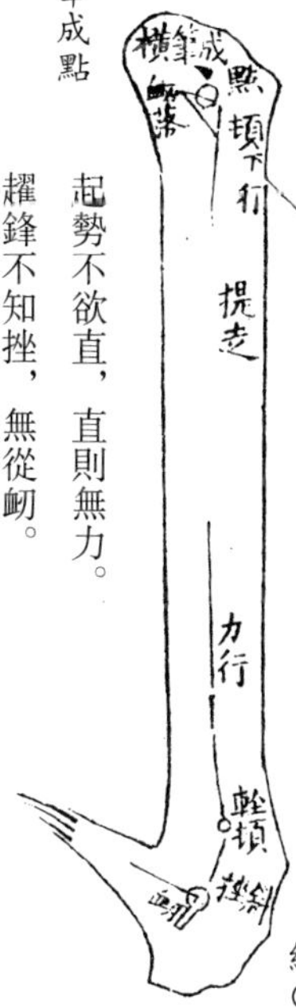

横筆成點

起勢不欲直，直則無力。

趯鋒不知挫，無從屻。

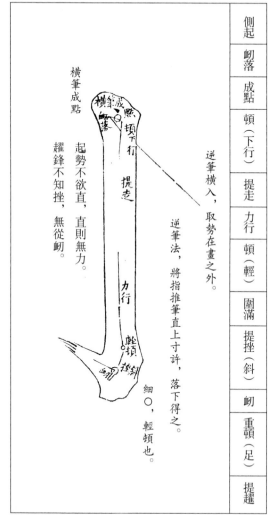

垂露

如露之欲垂而復縮。
用筆欲疾，疾則力勁。

右圍收直，鋒挫過左。
左圍滿搶。

垂露變法

法有長短，此法用於「伐」「仁」等字。

努

側鋒顧右，至頓行筆乃直下。

懸針

用筆欲徐，徐則意足。末鋒少駐，引而伸之，卒搶上收。大約直之在中者用懸針，直之在旁者用垂露。

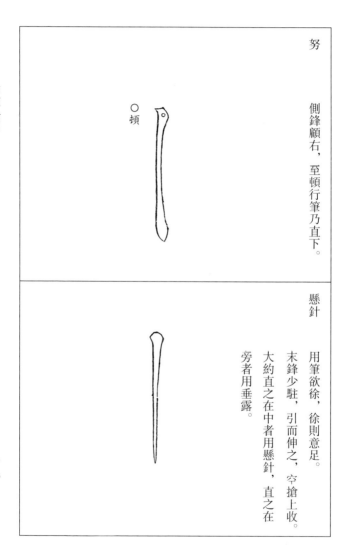

上尖

用以接上。

曲頭

「臣」「門」等字用之。

頭用一曲，取意在包右。

側搶或左或右，隨筆意之向背。

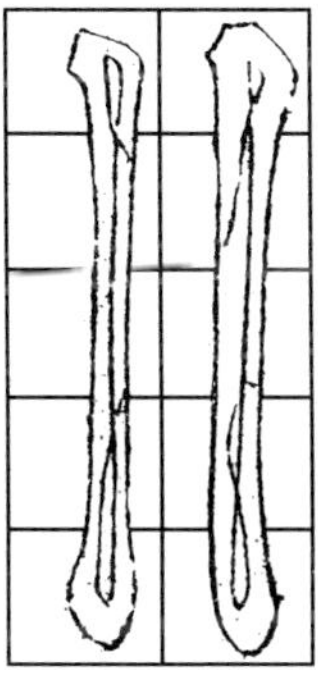

由上而下，則筆到下畫盡處又須逆迴向上，一去一來，皆有兩到。平兩畫用意略同，圖見下。

凡直畫先看字勢向背所宜逆搶，筆鋒用力少駐而下行則直。背在右者爲努。「申」字中豎則努而懸針也，「事」字中豎則努而隨趯也。向則努而向也，背則努而背也，非另有一筆。

點法

側起	屻落	駐	挫	蹲	圍轉	屻頓	出鋒

鋒向右而勢向左，按筆收鋒，在內而出之。

細〇蹲駐，中〇頓。

八法第一筆，所謂側不愧臥也。

點意

反揭側下，其筆墨精中墜，徐徐反揭出鋒。宀頭用之，避其旁點。

點拖

點拖無勢，亦不顧右，可偶一用之，以避章法之相類。

向左點  點後向左一拖。	直點  如小直。	長點  「不」字用之。	曲抱點  「戈」「尤」等字用之。
向右點  收筆圍轉至左，又從尖頭出去。	兩向點  「心」「以」等字中一點用之。其法先一點，後縮上一挑。	顧左顧右點  略同直點，筆意稍橫。	勾點  點帶勾，以收束其右。「厶」等用之。

平點

勢平。

「忄」「斗」用之。

向上點

「宀」「忄」第一筆用之。

帶下點

首點帶下，次點接上帶下。「冬」「寒」用之。水旁上二點亦用此法。

挑點

水旁末筆。

三點水偏旁

下點之趯鋒應上點之尾點，分陰陽向背，有上下相承之意。

微點

「乀」「礻」等旁末筆用之。

開三點

中點用帶，「爾」「恭」等字用之。

背四點

左右相配，「黍」「羽」等字用之。

啄點

「曾」頭用之

合三點

兩旁如「曾」頭，中用帶。

聚四點

上點似橫撇，冒下三點。「舜」「受」等字頭用之。

撇法

指法用送。

長直撇

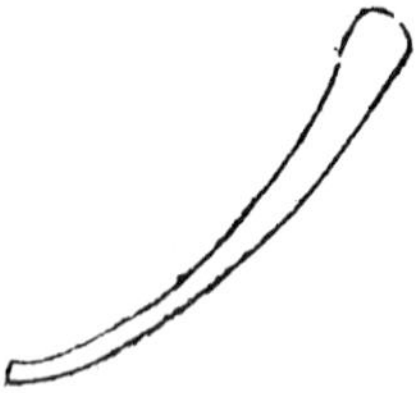

手根懸起，和筆俱行，則婉轉有力。

若以手根著紙斜拂，有半途撥出之病。

短直撇（啄勢）

下筆以疾爲勝，則鋒利。凡撇必用迴鋒起，先將筆從下至上，便無多頭。此短直撇，「亻」旁等用之。

曲抱撇

用尖起，曲曲抱左，如「文」「欠」「戈」等字用之。

長曲撇（即卷撇）

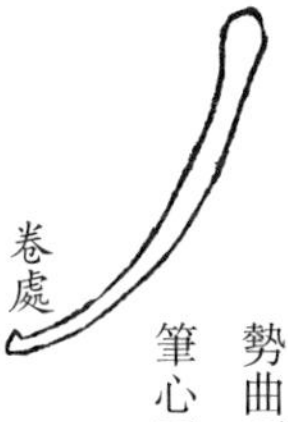

右向左之勢爲卷撇，當以輕勁取勝。勢曲而長，「少」字用之。筆心至卷處。

懸戈撇

「用」「月」等字從之。

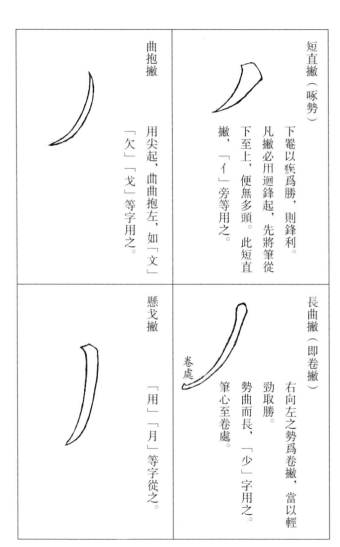

曲頭撇

曲頭所以包右，「凡」字等用之。

短迴鋒撇

兩撇不可一概出鋒，故首撇先用迴鋒。如「多」「冬」之類。

豎撇

此撇竟如一直，須漸漸撇開去。「夫」「月」「史」等字用之。

長迴鋒撇

長撇有不宜出鋒者，亦用迴鋒。如「破」「朋」之類。

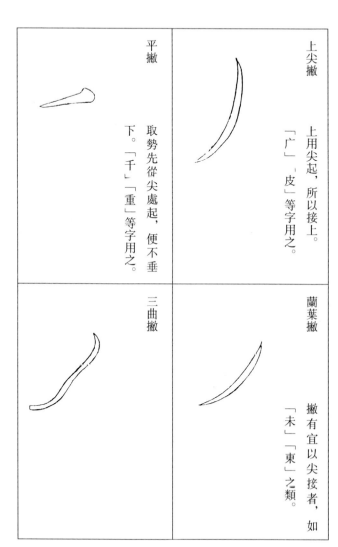

上尖撇

上用尖起，所以接上。「广」「皮」等字用之。

平撇

取勢先從尖處起，便不垂下。「千」「重」等字用之。

蘭葉撇

撇有宜以尖接者，如「未」「東」之類。

三曲撇

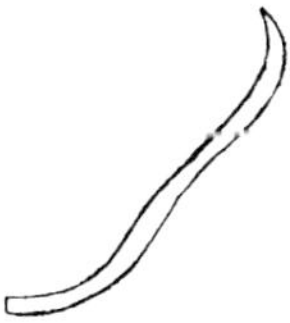

捺法

豎捺（謂之從波）

直分五停

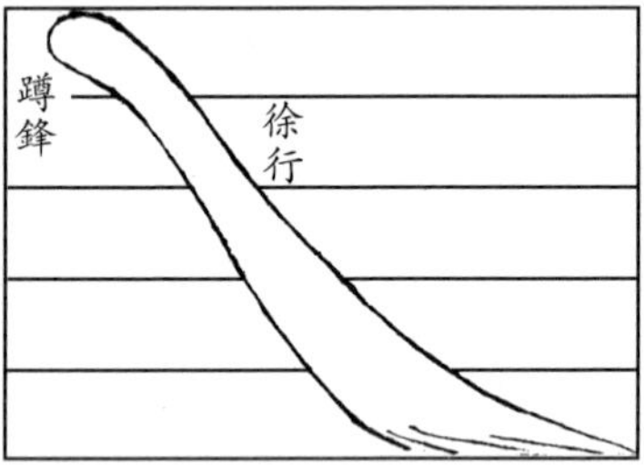

捺法顧左，在下半截帶卷起意，與左撇配。

蹲鋒徐行，勢力開展意足，頓出復遒勁而顧左。

此捺直下。如「大」「夫」等字用之。

平捺（謂之横波）

横分五停

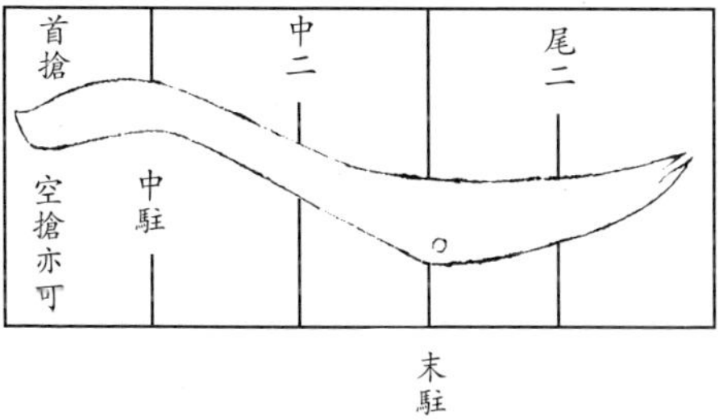

起處似作仰畫，不蹲以鋒，旁裏空蹲，三面力到，順指欹下，力滿微駐仰出。三過筆中，又有三過，如水波之起伏。平捺載上，「辶」等用之。

側捺

既不若平捺之載上，又不若豎捺之趣下，側在中間。「是」「定」等字用之。

反捺

凡字有兩捺者，一用反捺。如「途」「逾」之類。

曲頭捺

「又」「入」等字用之。

短捺

捺短而勢曲。「厶」「能」等字用之。

金刀

直出如刀削。

漫遊魚

挑法

平挑

凡挑必有兩角，其第二角尤須顯出，所以足其勢也。此挑勢平。「土」旁用之。

橫挑

此挑勢橫。「扌」旁等用之。

長曲挑

長以接右，曲以補空，「氏」「衣」「民」等字用之。

微挑

此挑不用兩角。「浙」「迎」等字用之。

鈎法

長鈎（即趯也。法已詳直畫圖内。此論出三角法。）

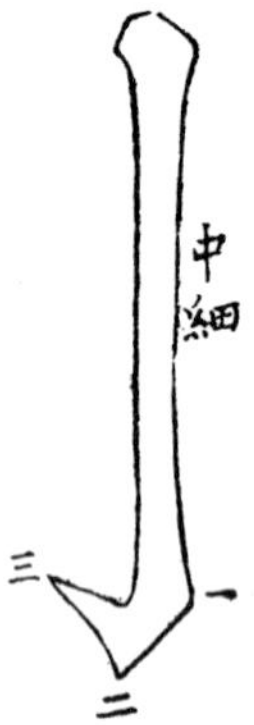

勾凡三角，要在中間向右一宕，得了第一角；次向下彎，然後縮筆向上左趯出，連作三筆寫出。

王虛舟先生論歐陽公書法，點畫俱示稜角，以便初學也。得法之後，去方就圓，亦易易耳。

平勾

此勾向下。

右昂取勢

「及」「阝」等用之。

背抛

上面轉角須出，中間細宕。

橫勾（即橫戈）

此勾向裏。

勾努

反振勾

此勾先向右，反振起。「犭」「帝」用之。

向右勾

此勾必先向左一宕，宕得出，方趯得進。

平藏鋒鈎（即浮鵝）

浮鵝有不宜出鋒者，亦用藏鋒。如「流」「此」等末筆用之。

圓勾

此勾一路圓轉。「阝」旁等用之。

直藏鋒勾

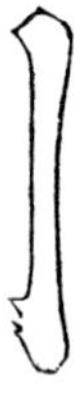

勾有不宜出鋒者，須藏其鋒。如「林」「梧」之類。

托勾

上面字多者，末勾須托住。如「寧」「亭」之類。

長曲勾

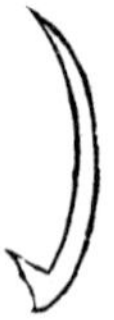

勢長而曲。「子」「乎」等字用之。

浮鵝

中必細，下必平，三角包滿。

包勾

此勾包左。「力」「勾」等字從之。

斜勾末重

二王浮鵝，便一路圓轉。

戈

稍直失之拙，過彎失之柔。頭必直，中必細。形如强努，勾必三角。

斜勾末輕

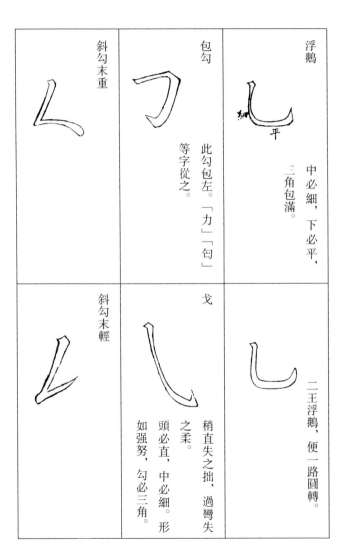

接筆法

凡字中左與右相接，上與下相接，必有一定之處，所謂門筍接縫也。接處多用尖筆。

一尖接

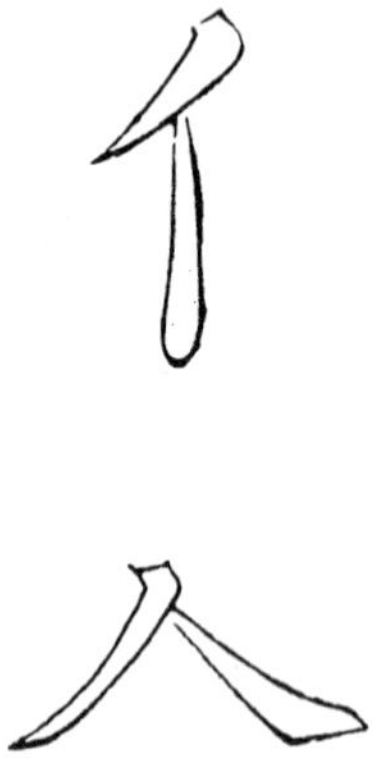

兩尖接

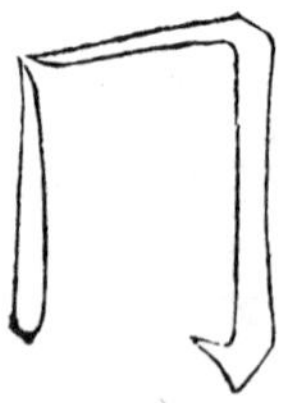

接有不宜重頭者，必用兩尖接。

三尖接

三筆末鋒在一處。

四尖接

五尖接

五筆在一處，須用五尖。

兩並遥尖接

如「行」字右旁第一畫不可用折，又不可緊接，當以尖遥接左旁。

撇捺平直轉折用意諸法

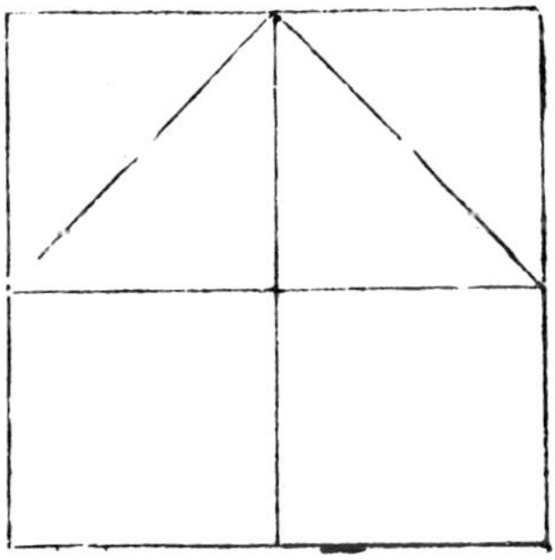

蓋下之字，左右宜乎均分。法界四方格，作「十」字，以半斜界畫兩角。學者作蓋下字，撇捺之意俱在黑綫上。如「會」「合」「金」「舍」等字頭，用意不離此法，自無過不及之弊矣。

圍轉

挫在提頓接縫處。

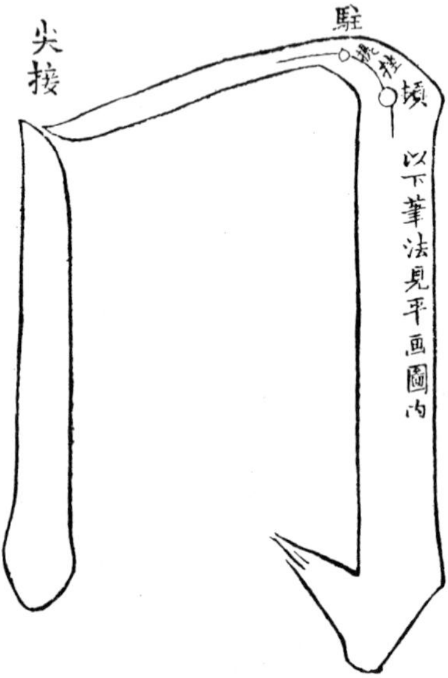

轉角之妙，在駐、提、挫、頓四字，又以仰筆覆收意轉筆至頓，亦妙。

筆之輕細者爲陽，麁者爲陰，一字有兩直者，宜左細右麤。

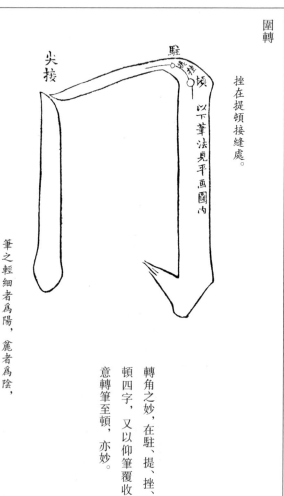

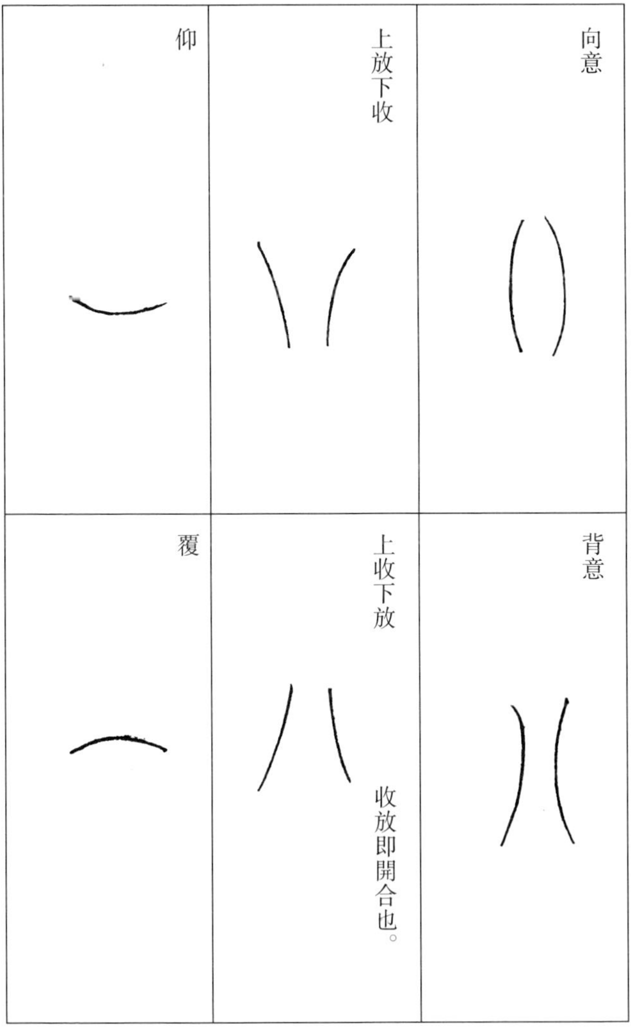
向意
上放下收
仰
背意
上收下放
收放即開合也。
覆

從波意

捺凡三曲，一曲藏而不露。

橫波意

凡从「几」之字，上下均放，中用直爲柱，則無欹斜之病。如⿴囗丑格用法。

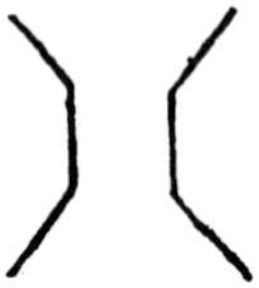

背抛意

平畫匀

凡平畫先學匀，再求錯綜變化。

直畫匀

凡字平直畫之多者，可以類推。

斜勾意

筆當疾遣。兩筆相借，以取勢也。凡くレ氵乁乛乙之類，筆意用法畧同。

折意

策掠意連。

人意

啄用卷，與波首連絡。

撇撇相應。

跡雖不連，神氣相接。形勢相對，筆法相生。如人手足，如鳥舒翼。

彳意

亍意

平兩畫意

一畫由左而右，筆到右畫盡處略一停頓，周迴到左，然後轉出第二筆，所謂兩到。

平三畫

上仰下覆，中用勒，以接上起下。

川字

左右用背意，中直如行書，或用向意中用帶。

字病

《多寶塔碑》平畫住處用點。

柳。散水第三點。

牛頭

《多寶塔碑》寶蓋用點。

落肩脱節。接不用尖，以致開口。

鶴膝

鼠尾

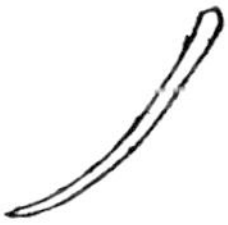

竹節

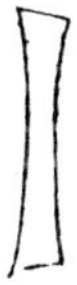

稜角

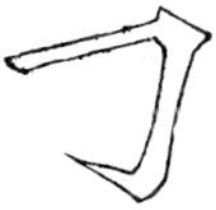

蜂腰

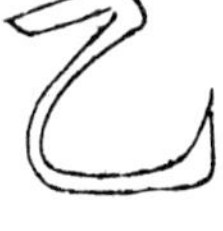

折木

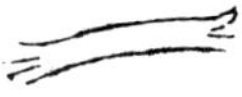

柴担

乾隆壬寅立秋後，金匱蔣和纂輯并書。

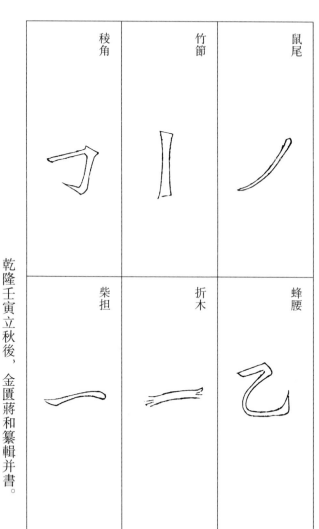

分部配合法

作書有遜讓覆載諸法，皆舉全體而言。然用意先露於偏旁，上下爲之預留地步，其間屈伸長短布置之道，有變體，有簡筆，一一講明，此入門捷徑也。偏旁俱從古帖，於六書之旨畧焉。

法詳點畫圖内，亦須活看。大概中間字多者宜開，字少者宜窄。

相接處宜密。右多者撇尾忌長，右少者撇横而尾長。

首撇平而直，用迴鋒；次撇曲而長，出鋒。次撇之起頭，頂首撇中間。

行

點挑相應，神氣一貫。

次 凝

兩點直下，微作拗勢，下點作垂露意。

冬 寒

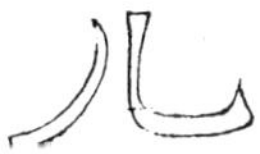

右勾有一直，故左撇亦帶直相映。

元 先

右邊字少者宜長，右邊字多者宜短。

清 源

「口」在旁者，缺一角以讓右。

唯

口 若

「口」在下者，左畧長以見柱，右平載上。

刂 别

中小直既要接左，又須起上。

力 勞

「力」在下者，宜闊而短，以載上。

刀 切

中撇悠揚。

力 勤

「力」在右者宜長而狹，以抱左。

山 峥

「山」在旁者，缺一角以讓右。

山

「山」在上者，左右須收束向裏。

嵗

山

「山」在下者，左宜出，以載上。

出

匚

中間字少者，上畫長以冒之。

匹

匚

中間字少者，下畫長以載之。

匪

阝

「阝」在左者，宜狹以讓右。住處用垂露。相讓之字，切忌侵佔。

陽

阝

「阝」在右者，宜闊而長，以配左。住脚用懸針。

鄉

卩

「卩」旁闊大，以配左。

卬

广

畫左尖長，以冒下，下撇亦以尖接。

康

口

上下畫俱宜細。

國

厶

右點要收束向裏。

去

疒

撇帶直，以藏點挑。

癡

冂

左用兩尖接。

同

畫用右尖，避挑起之重也。

地

首撇用迴鋒。

夆

點頭掩首撇之鋒。

列

首畫兩尖，中用小勒。

理

兩撇不可一順，故第一撇用蘭葉，第二撇用卷勢，且次撇收藏讓前撇，與捺相應。

夏

首筆之起，與挑脚齊。

孫

女

挑左宜以冒下，撇尾亦用長。

如

犭

勾用反勢，便挽得住。

猶

尢

撇頭直，撇尾短，藏右點。曲抱下勾平。

就

女

兩撇尖起以接上，下腳須配齊。

要

犬

畫右短，以讓點。

猷

丸

撇尾短點須藏。

孰

「瓦」中二畫，化爲點挑。變體作「瓦」，左末豎藏撇内。

瓶

左撇作一彎，以配右勾，方得齊平。

窮

下截字多者，將四點藏於冖頭之上。

露

右勾須與左點相配，故勾鋒向下。

字

首畫兩尖，中四點要相應而不相碍。

雲

此減寫法。

霜

寸

中點帶直，方能補其空處。

對

小

左右須緊抱。

尔

氺

勾貴下長，左右相配。

泰

才

撇從右起，須用尖筆。

財

小

右多一點，故左點要長；將右中一點細藏。

恭

水

左點亦長，以配右。

慕

尸

上畫與左撇用兩尖接，撇亦帶直。

居

巛

下三點，左、右相向，中則短藏。

巡

巾

「巾」在下者，左右須相配。

常

戶

上帶平，左第一撇須帶直。

房

巛

左直向左，中直作一曲向右，此變法也。又減寫法。

巠 巡 逕

巾

「巾」在旁者，左直微長，右勾微短，直畫中間要細。

帆

糸

首撇長而左挑出，下撇則短藏。三點，左、右相向，中用直點，以還本體。

經

糸

「糸」在脚者，上撇要短細。

素

辶

「辶」中曲忌斷。上邊字少者點與捺俱平。

迎

糸

上撇首短，下撇首長，仍藏三點，一路向右，此乃變法也。

純

廴

起筆尖長，以冒下。中用兩尖接。

廼

辶

上邊字多者，點與捺俱側。

遠

戈　成

頭必直，中必細，點抱一畫之頭，撇亦曲抱向裏。

弓　張

中豎似迴鋒，撇化板法。

彐　祿

中間化點。

戈　戰

「戈」有不宜開者，須直下以靠左。

弓　弗

左豎似撇，外向便與右勾相配。

彡　影

首撇平而直，次則收鋒，三則長曲以抱左

忄

右點如一小直，方與左相配。

性

扌

「亅」中間微細，畫左長以冒下勾。左右有兩勾，右用綽勾，以避複。

携

木

兩「木」不宜重勾，左須藏其鋒。

林

心

中勾稍短，右點宜出以冒鈎。

思

扌

畫右尖以讓右，下一小點或上或下，須看右邊之字畫。

楊

支

三筆在一處，用三尖接。

鼓

攵

四尖接，下撇須宕出，意在抱左。

教

斤

兩撇尖鋒相接，次撇宜細而直，以讓左也。

斯

言

首畫左長，中二小畫上短下長。

談

欠

五尖接，撇包左，捺舒，使意足。

歡

方

首點向左而長，撇用斜懸針。

施

日

右直微長，左挑微出，中畫化爲點，亦忌板。

時

月

中二畫化爲點，方能向右。有用斜者，「夕」。

勝

几

中間字多者，撇與勾微直下。

鳳

火

中撇宜直，三點攢一處。

煙

气

中間竟作一平點，不呆板。

氣

几

中間字少者撇與勾俱平。

風

炏

右邊「火」字左點作兩向勢，便能聯絡。

榮

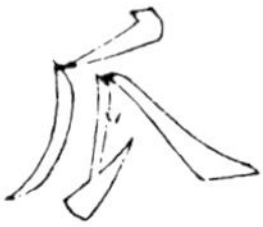

上撇冒下，捺與中直相接。

瓢

三點向右，右一點向左。

然

左邊俱要收束。

漿

左右兩點相向，中二點兩向作帶意。

燕

上下俱開，中間須收緊。

牖

二王「爿」法，一點向上直後挑。

將

壯

左作點挑，亦一法也。

雅

上畫左尖，以點接住。

草

兩小畫向上，切不可平，欲其冒下也。

狀

左作一直一挑，「壯」「狀」等字用之，以配右也。

物

撇尾不宜長出。

箴

左點向右，右作一撇向左，是一氣，且不碍下。

田

「田」作偏旁甚板，作斜勢以活之。

疇

疋

中間「卜」宜細，下撇緊後中出。

楚

癶

撇捺冒下，上邊筆畫須配合。

癸

酉

「酉」旁甚板，將下一畫作一挑，以向右。

酌

走

畫右俱短，便已讓右。變法「辶」。

趙

皮

左撇尖細，右撇要藏。

被

中二直化爲點、撇。

蓋

中點末用尖，下勾亦以尖，接氣貫而接脉亦清楚。

務

畫左長以冒下，撇、豎即讓點部位，點須善藏，豎意仍對上點。

襟

兩撇直下，點小而藏。

知

畫左尖長，以冒下。左直出頭，以接之。

碩

下點在兩筆接縫中。

禮

中直要細，下截用筆向左宕出，捺之起筆與直相接。

衣

上撇要平，畫左長以冒下。

種

右點尖長，以聯上下。

端

直之上節曲頭，起即向左宕，用筆稍重，至下節筆輕帶出一挑，挑須長而曲。

氏

左撇右捺與直相懸，欲其清也。

香

畫左長，以冒下；左撇不宜長。

精

上畫兩尖，勒畫。

壘

次畫左宜長而曲，右宜短而細。

者

直頭一曲，所以包右。

臨

左點長以配右撇，上畫長以冒下。「曾」頭亦用之。

義

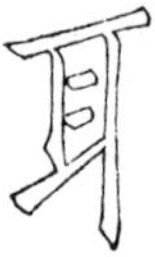

畫左尖長，以冒下挑。

聯

中二畫化爲點、撇，便覺靈活。

兒

舛

左右全不相顧，將一點長出，以聯絡之。

舜

舟

中二點若斷若續，右挑宜出。

航

虍

上直要短，左撇之頭須長出，以包右。

虎

艮

右撇要短，捺與直宜相連。

艱

角

首撇左長以冒下，中畫作微挑向右。

觴

虫

下點要長。

虬

襾

上畫長，以冒下。

覆

見

「見」字在右旁者，撇須偏左，讓右下勾進步。

觀

豕

上二撇短藏，下撇長，以配右捺。

家

𧾷

「口」字下畫左微出，以冒下。中小畫略上右撇，在隙中得舒展。

路

鬼

下勾接中直起，便能藏得「厶」字。

槐

豸

左點要長，右點竟撇向左去，次撇要短藏。

豹

貝

「貝」旁在左者，下撇宜長，一點宜短。

則

車

末一畫左邊要長，右要短而尖，便向右而讓右。相讓之法，無過短小閃藏，先預留地步。

輪

門

「門」左宜斜，「門」右宜整。「門」左宜狹而長，「門」右宜闊而短。

開

頁

「頁」旁在右者，撇宜短，點宜長。

順

金

中直不宜出頭。

銀

隹

左直長而向右，中直細而向左。

錐

中畫要細，下畫左（右）要短而讓右。

鞠

將上直粘連「口」字，便與下相接。

韜

下勾儘往左去，切不可碍中間地步。

馳

上撇直下，與一直相對。

朝

下點小而藏。

飲

首點向裏，末點向外，勾須包二點。

駕

骨

右勾縮而藏，方不碍右。

體

鳥

中畫放長，所以顧左顧右。

鶴

鹿

點上長，撇下長，中間緊疊。

麟

髟

左減一點便能向右且不碍下，所謂上亦宜相讓也。

髮

鹵

中間如「必」字寫法。

鹹

齊

下本三平，中一直作柱，左右配齊。

齊

右用二撇，減其一直，是省筆也。

齋

首撇左長以冒下，下四點緊攢。

鯉

左作點挑，右作兩點，便活動。

學

中間須疊得緊，畫左長以冒下，右直收束。

齡

首畫宜短，左右方能緊湊且讓兩糸出頭。

變

中「白」字爲柱，左右靠之，右末一點須帶下。

樂

左右須配勻，中宜長。

舉

中多一撇，以聯上下。

轂

首畫左尖，中用勒畫，三用迴鋒。

首畫長以冒下。

春

上勾化爲點，便不散開。

叚

二點向右，右作一撇向左。

愛

點撇宜開，首畫短，次畫長。

眷

羽

「羽」在右旁者，中左用一直一挑，以收束。

翔

羽

「羽」在下者，左微短而右微長。

翁

黹

此是正法。

黼

羽

「羽」在上者，左長右短。

習

戔

上「戈」稍直，或作反勢，便覺寬展。

黹

下竟似「舟」旁，此變法也。

黻

中二撇一短一長，一收鋒一出鋒。

是篇墨蹟意兼歐、柳，每格下又引全字爲證。今悉照原本鈎摹，特愧腕力柔耎，每多乖舛。篇中註解，和又畧爲更易。與《點畫圖》及《全字結搆》兩册合觀，庶講論相貫也。蔣和謹識。

乙亥歲，鵬學書於奚晉川先生。先生爲蔣拙存、王虛舟兩先生高弟，二十年來常往來於江右、兩浙間，時相過從，遂得罄所樂聞。甲午，予入京師，遇拙存先生之孫仲和，懽如舊識。觀其所藏蔣氏秘論一書，與予所授於晉川先生者參訂，若符節焉。仲和至孝性成，克承家學，其輯《書法正宗》也，索予所藏《分部配合法》編次卷內，屬予爲記。予以私淑諸人，義不容辭，因志鵬授受之所自。即附書先生姓氏云，先生姓奚氏，名又洛，字書原，江陰北渚人，晉川其號也。乾隆庚子四月浴佛日，海鹽後學錢延鵬謹識。

全字結構舉例

集諸名家講論

畫多則分仰覆以别其勢。

豎多則分向背以成其體。

整頓精神，正其手足。先學形勢，須令似本。尺寸規矩，心眼准程。八面照應，不得重改。點畫清楚，向背分明。中正揖讓，立定間架。布白停匀，一氣貫注。

帝宗康：中直與上點相對。辟録軒：左右各有中。靡矗昂：上合下分。瞿替：上分而下合。嚚兼：中合，上、下分。墨靈：中分，上、下合。職衝：三並。以上字，各以類取中，使布置停匀。圖：六豎分向背，以避算子。多：一縮，二縮，三亦縮，四出鋒。又一平，二、三直啄，四卷啄。又或先腕轉而復斜硬。柔：下面「朩」左右須與直齊。亦并：右縮左舒。「亦」字三點俱變化。斤：右垂左縮。志：横畫上仰下覆。左：畫短而斜硬其撇。分筆，先一後丿。右：畫長而腕轉其撇。分筆，先丿後一。心：初點向裏，横戈斜平，勾向内而收，中點取高勢，欲粘第三點，第三點又微高，不可下。彡：須分勢如三畫，爲仰平覆，或上撇平，中撇斜，下撇直。下撇之首，對上撇之中。臣：右旁短直應左直。氈：偏碍者屈勾以避之。大：横畫微短。撇就畫上直下，至畫下方腕轉向左。波首暗出畫上，波首意接連撇之末鋒，則血脉聯屬。真：中三畫須不同。凡中畫，俱不得觸右。如「日」「月」，亦俱不得觸右。佳：左倚人向右，右四畫亦須俯仰有情。三：上仰，中平，下覆。或上、下分仰覆，中勒。目：竪宜向。門丹：竪宜背。川：中竪直，左右之竪相背。册：中兩竪直，左右之竪相背。升：字之孤單者，展一畫以書之。棗：字之重并者，蹙一畫以書之。十：横畫較直畫長。七：横畫較長宜勒，不斜則無勢，直畫轉而復迴。也：斜策取勢。無：四竪上開下合，四點上合下開。點又分向背，兩旁分八字，中兩點帶就上，不可就下。畫：疎密停匀，照應爲佳。發於左者，應在右。起於上者，伏於下。此一定法也。用周：初撇首尾向外，次努首尾向右，中實左虚右。茶爻：「茶」上捺放，下捺留。「爻」上捺留，下捺放。戈幾夕朋：

偏側隨字勢結體。口曰：一横一直承上。遠還：凡之遶裹面，須上大下小，方能稱。烏馬焉：屈勾用意，須包末兩點。莫矢：下畫宜長，撇短，以點配之。國固：初直首尾向右，次直首尾向左。上横平，下偃。或上仰直，背下平。思志：「心」在下者，右宜寬。反及復：兩撇先長而斜硬，後短藏而腕轉。見貝：字須右長，中短畫不黏右，撇或借勢，或用啄撇而出之。盧遞：用筆先腕轉而後斜硬。皿四：四竪上開下合，而向背小即分焉。民氏長良：長趯應右，轉處須宕出，搭上趯起，須盡出鋒右趯捺應左。乘來東：中勾並應上。軍宙：上冒下，上清下濁。里遠：下畫承上。黍委：上下撇點有陰陽之分，不分則無上下相承之意。川心求水：形斷意連。屋庶老少：從横之撇俱宜長。棗呂昌爻：上並小。棘絲羽竹：左蹙。森森：上小左蹙兼備。實真：舒左足則不板。雖難：直畫微向左，以應右勢。月丹用周國圍：峻拔一角，抑左昂右，右勾應左。喉嘯喟呼吸：左短，「口」取上齊。和扣如知：右短，「口」取下齊。凡左右多寡不同，不可牽强使停勻。自因：左竪短，右勾微長。者有：「日」「月」不宜正。文：「乂」不必正對照。雲空：

上勾應下。曾其：「曾」字上兩點上開下合，宜從。「其」字下兩點上合下開，宜橫。八州：潛相矚視。乎手：綽勾。疊醫驚：上重下輕，頂戴欲其得勢。倉食：上面不寫波。爪介：踈排之字須展。畺：三排之横畫，上、下分仰覆，中平。一乙：蹲鋒輕重須有準。旬匊蜀：裹面與勾齊方稱。術衝：三排之字，居中者卓然中立而不倚，其左右停勻，有拱揖之情。岡南田：鈎裹。勻：勾努。交賑：報答。其目：實左虛右，四畫上、下分仰覆，二、三但取其順。會金：蓋下，左右均分。行河水：上下不用齊，齊則板。接左用尖。以欠女必：用筆先斜者以側應，筆盡處重按。崇豈：舉左。貝育：豎分向背，横分大小，皆俯仰有情。其天夫才：首畫用策，仰策仰收，而暗揭。風鳳飛：擻尾停筆取勢，轉筆打畫首，作背拋。我哉：上點對左邊實處，不與「成」「戈」諸字同。並工：兩畫上仰下覆。上下：直畫宜短，點皆近上。凡筆畫之踈者，宜豐肥類此。長良馬：如此等，短畫不得與左長直相連。作行：右長。佳於：右短。九見：腕勾應上。非門：字兩相離者，欲其黏合。此在用意，得顧揖之形。戔：重勾先縮，而後出鋒作趯以應。岡內：潛虛半腹。辛爕：增筆。邊：減筆。秘：借筆。歐陽《醴泉銘》借「示」旁作「必」字右點。瞻峰馥時：左短小，讓右字長大。凡字相讓之法，無過短小閃藏，切忌侵佔。船扛江：左長右短，字勢順適。麓纏嶽：蹙之一傍。中：中直爲柱。凡字中擔力之筆，爲一字之主者，謂之柱。此筆宜重，如不重者當用勁筆。字有一柱者，有兩柱者，有半筆爲柱者，各舉一字。自「中」字至「水」字，俱論柱法。筆之輕者爲陽，重者爲陰。凡字中有兩直者，宜左細右麄。又字中之柱宜粗，餘俱宜細。此分陰陽之法也。至：下畫爲柱，所謂主筆，須平。他畫則錯綜用意，乃不呆板。妙：下撇爲柱。道：下捺爲柱。然：下面左右兩點爲柱。夫：以撇之上半截爲柱。柱：以左一直及右之下畫爲柱。水：中勾爲柱。舛推韋：上下左右相環向照應。雲書：上層爲主，下二層宜收束。凡字有兩層者、三層者，先看以何層爲主再寫。榮華：中層爲主，上、下收束。稟蓋益：下層爲主，上二層宜收束。輝撫餘：左向右，右向左，迴環照應，神氣一貫。凡兩字合成一字者，必須各半相配，使之相向相讓相接，切勿寫全。假班榭淵：左右三平者，必隱其一。非射：左右兩柱者，或隱其一。繁鑿駕：三四字合成一字，必用打叠躲閃。輒轉：點畫繁多，用假借法。疋戈：畫向上斜，勾捺有勢。潤清：水旁在「潤」宜短，在「清」宜長。珠瑣：玉旁在「珠」宜小，在「瑣」宜長大。此又通變之方也。是足：「卜」居中，撇須横。列：直趯宜用努。綸：糸旁讓右。嚮留：二停微加饒減。雷普：上占地步。衆禹：下占地步。劉敬：左大而畫細，右小而畫粗。騰施故：右寬而畫瘦，左窄而畫肥。叢：上下寬而微扁，中間細而勿長。蕃擲：「蕃」宜兩頭小而畫重，「擲」宜中寬大而畫輕。寇宅宓：上勾短，宀頭窄小，下腕寬大而勾長，不與天覆字相類。壽畺：黑白均分，再求錯綜變化。紫旭：屈伸取勢。朝：下平。野：上平。支：「乂」對正中。谷琴：兩邊貴平展，如鳥之舒翼。家好舒：向。北兆乳：相背，而脉絡貫通。辨：中近，下讓，兩邊出頭。宣尚寧臺：展右肩。以欠入：側者斜映。安：宀頭要小。奮南寺者真：第一筆或策或勒。所井：右宜伸下滿。可司于：字之獨立者，必峻拔遒勁。助即郎：左高右低，若右齊上，便不是書。小八：撇捺點畫俱相應接。麟：此中門接不差則遒緊。儲：「言」短藏，結體乃密。

爲齋蔣和學書。

字資於墨，墨資於水，墨爲字之血，水爲字之肉。用力在筆尖，爲字之筋。有筋者顧盼生情，血脉流動，如游絲一道，盤旋不斷。有點畫處，在畫中。無點畫處，亦隱隱相貫重叠，牽連其間，庶無呆板散涣之病。吾祖書法論云，正書用行艸意，行艸用正書法是也。蓋行艸用意，有筆墨可尋。行艸多牽絲，至真書多使轉，真書之用使轉如行草之有牽絲，合一不二，神氣相貫，是爲得之。和謹識。

重定九宮格

唐人作書專用法，遂有九宮。其舊制分中左右上下，界畫作九。九之數，易於迷目。今重訂九宮，每宮界「十」字，共三十六格。仍分中及左右上下。其減省用法，於均方減數之旨亦合焉。

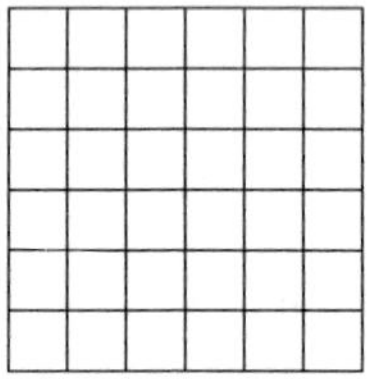
九宮全格

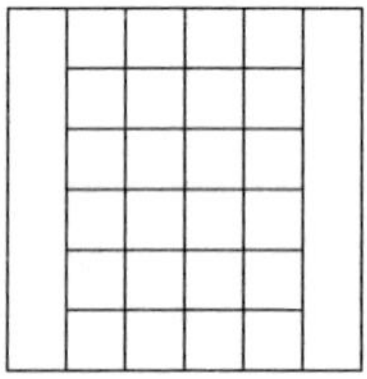
長字省兩旁格

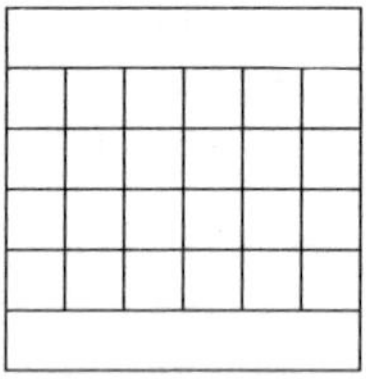
短字省上下格

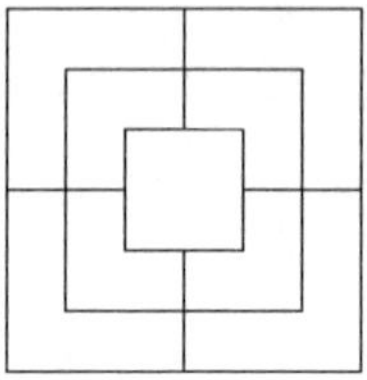
九宮中得三層方格

右格縱橫六道，字長者用中直四道，兩旁兩道爲隙地；字短者用中橫四道，上下兩道爲隙地。九宮每宮界「十」字，中得方格三層。字方者筆畫到第二層綫上，小者在第一層綫外。宁長如「美」，方如「口」，短如「以」，小如「口」之類，如此則分寸仍是九宮舊規，用之較便。此格用之生字，易得主意。

臨摹古帖，如字大者，以九宮格作小印蹙之，字小者以九宮格作大印展之，察其屈伸，秋毫勿失，其格不必作六道，分數已可得矣。

書法爲士君子之餘事。然不得其傳而能臻其妙者，鮮矣。自吾祖湘帆公以寫《十三經》爲聖天子推重，一時學者争契慕焉。迨府君亦精於翰簡，有重定九宮格，減當精核，實爲初學津梁。蓋古帖字體如執柯範金，有可倚著。再用九宮，則得大冶洪鑪，悉歸鎔鑄。此脚踏實地工夫，不可忽也。壬寅秋日，次男和謹識。

分筆先後

川 丨 川	云 二 厶	及 丿 乃 又 乃字仿此
王 二 丨 一 中畫近上	止 卜 ⊥	毋 ㄥ 丁 丿 一
匹 匚 儿	足 口 卜 人	交 亠 乂
片 丿 ⊥ 丅	冊 冂 ‖ 一	左 一 丿 工
右 丿 口 有字從此	司 口 丁	丩 ㄴ 丨
凸 冂 冂 一	戊 ⺊ 戈	戍 人 戈
皮 一 攴 丿	必 丿 ㇃ 丶丶 或 丿 ㇃	弗 川 コ 弓
羽 ㇆㇆ 冫冫	用 冂 二 丨	兆 儿 冫冫

老 土 匕	凹 凵 冂 一	臼 ⺊ ヨ 一	卯 丌 卩	門 ⺆ 二 冂 二	非 非刂 三 非字從此	來 才 从	女 く ノ 一	弓 フ 一 ㄅ
充 亠 厶 儿	匡 王 乚	垂 二 卅 山	市 一 巾 即韍字	重 亩 丨 二	隹 亻 丨 三 丄	長 巨 氏	盈 夂 乃 皿	毘 目 巳 一
出 凵 丨 凵 分五筆	臣 丨 丑	州 川 灬	坐 丨 丛	亞 丅 卜 一	亦 亠 川 八	飛 飞 丨 丿 飞	風 几 虫	書 聿 日

馬 馬 丨 灬
乘 丁 乑
畞 十 田 夂

區 品 乚
畢 昰 丨
將 丨 [illegible] 哥

寒 宀 [illegible]
肅 [illegible] [illegible] 川
無 [illegible] 灬

畱 [illegible] 卯 田
敝 [illegible] 八 攵
截 音 戈

鼂 [illegible] [illegible]
鼎 目 [illegible] 片
豦 上 七 ノ フ 亅 久

爾 [illegible] 爾
盡 [illegible] 皿
聚 丁 [illegible]

興 目 具
巤 [illegible] 巛
龍 [illegible] [illegible]

學 爻 學
火 丷 人
齋 [illegible] [illegible] 示 川

羸 [illegible] 羊 [illegible]
變 言 變
嗇 十 [illegible] 旦

壬寅秋日審定於醉墨齋

學書雜論

書之法，可學而得也。然有非所學而學，有無可學而學，此在法之外也。古今論書者幾數萬言，無一相同，要於法中求精，法外取勝耳。篇中又間論隸體，蓋章法雖殊，而理則一，亦可以同歸互貫云。壬寅立秋日，醉峯道人蔣和自識。

字無一筆可以不用力，無一法可以不用力。即牽絲使轉，亦皆有力。力注筆尖，而以和平出之。如善舞竿者，神注竿頭；善用鎗者，力在鎗尖也。

布白有三字中之布白，逐字之布白，行間之布白。初學皆須停勻。既知停勻，則求變化。斜正疎密，錯落其間。《十三行》之妙，在三布白也。

一字八面流通爲内氣，一篇章法照應爲外氣。内氣言筆畫疎密、輕重、肥瘦，若平板散渙，何氣之有。外氣言一篇有虚實、疎密、管束、接上遞下、錯綜映帶，第一字不可移至第二字，第二行不可移至第一行。

學書當先識篆隸，但真書近篆者少，近隸者多，而行草俗體猶或出焉。於是有尊崇篆體，淺薄隸書者，豈知顔魯公得《孔龢碑》之雄勁古拙，褚河南得《韓勑碑》之縱横跌宕，隸體筆法，實開真書之秘鑰乎？

漢碑筆法，無一相似。學者摹仿，可各從其性之所近。至結體，唯求正當，不可杜撰。文待詔作隸，任意屈曲，但求平滿。宜令人以篆體楷書雜作隸字筆法，稱能事也。

學琴得之海上，參禪得之屠門，既得之後，無法非實，無法非空。實處習，空處悟。到得悟境，觸處天機，頭頭是道矣。豈必人人見舞劍器、聞江水聲耶？

學行書可知真書之血脉，不可分爲兩橛。

今之學董文敏書者，以輕秀圓潤自矜神似，不知思翁本領從沉着痛快中來。其書《正陽門關帝廟碑》，全仿北海。又見其臨《淳化閣》墨蹟，各家俱備，無美不臻。想至晚年，酬應浩繁，率易落筆。又以畫法用墨黯淡取勝。王虚舟先生云，習董得其皮毛，愈秀愈俗，信然。

隸書體，少知其所通，庶免造字之誚。有留爲後人傳信者，則不可通用他字。如典謨訓誥，所以尊經也。如今之地名、官名、人名、所以從時也。

漢碑字體多有俯仰向背，結字亦有方正、嚴密、遒緊，種種不同。至《曹全碑》少背而多向，結字亦以欹側取媚，入纖巧一門。然如書家之有董、趙，畫家之有倪、黄，並有逸趣，不可揮斥也。

引筆即興筆，亦謂之發筆。筆法太重，似加點畫。劁筆即斷筆，應連而斷，每成乖舛。初因漆書黏滯所成。繼乃行草雜用，遂成帖體。且風雨剥蝕，點畫斷闕。今人描取形狀，爲得古意，失之遠矣。

董文敏云，書須熟後生。余謂「熟」字人人能解，所謂「生」者在熟後。又臨摹古帖也，熟後生則入化境，脱略形迹，則有一種超妙氣象。若未經純熟，漫擬高超，是未學步而先趨，必蹶矣。

唐宋名家體格不同，有心摹仿者，如入喬岳巨川，任意所適，隨其淺深，有求必致。其用意莊重者，如仁者樂山；其奇趣横生者，如智者樂水。仁者之所爲，使後人有所持循；智者之所爲，可以益人神智。

行草縱横奇宕，變化錯綜，要緊處全在收束。收束得好，衹在末筆。明於結體，則點畫妥貼。精於收束，則氣足神完。

書至佳境，自能摇曳生姿。摇者筆未着紙，在虚空中；曳在筆之實處。

預想字形，書之大旨。然名家非全無失誤，如落筆有不愜意，便當想下數筆如何救之。救護得好，别成機趣。

法可以人人而傳，精神興會，則人之所自致。無精神者，書法雖可觀，不能耐久。索玩無興會者，字體雖佳，僅稱字匠。

氣勢在胸中，流露於字裏行間，或雄壯，或紆徐，不可阻遏。若僅在點畫上論氣勢，尚隔一層。

結體在字内，章法在字外。真行雖别，章法相通。余臨《十三行》百數十本，會意及此。

米老書千變萬化，天機奥妙，宣洩殆盡。其跋謝淵朗帖後，全仿右軍《辭世帖》。《龍井山方圓庵記》如醉僊步武脱支，失節之中别有態度。俱非凡人所能及。

書法有流動、遒勁、超遠、嚴整、狂縱，種種不同，扣二字爲之，便可一生受用。

附録

全字結搆舉例

集諸名家講論

畫多則分仰覆以別其勢

竪多則分向背以成其體

整頓精神　正其手足　先學形勢　須令似本

尺寸規矩　心眼准程　八面照應　不得重改

點畫清楚　向背分明　中正揖讓　立定間架

布白停匀　一氣貫注

帝宗康中直與上點相對　辟録軒左右各有中

靡聶昂上合下分　瞿替上分而下合　罍

蕪中合上下分　墨靈中分上下合　職衡三竝以上字各以類取中使布置停匀

圖六竪分向背以避算子　多一縮二縮三点

系下面木左右須與直　縮四出鋒又一平二三直豎四卷啄又或先腕轉而復斜硬

齊亦并右縮左舒亦字三點俱變化　斤右垂左縮　志横畫

上仰下覆

左 畫短而斜硬其擎分華先一後丿

右 畫長而腕轉其擎分華先丿後一

心 初點向裏横戈斜平勾向內而收中點取高勢欲粘第三點第三點又微高下可下

彡 須分勢如三畫為仰平覆或上擎平中擎斜下擎直下擎之首對上擎之中一

臣 右旁短直應左直

鍾 偏碍者屈勾以避之

大 横畫微短擎就畫上直下至畫下方腕轉向左波首暗出畫上波首意接連擎之末鋒則血脈聯屬

真 中三畫須不同凡中畫俱不得觸右如日月亦俱不得觸右

佳 左倚人向右ヽ四畫

亦須俯仰有情　三　上仰中平下覆或上下分仰覆中勒　目　竪宜向　門

丹　竪宜背　川　中竪直左右之竪相背　冊　中兩竪直左右之竪相背

升　字之孤單者屢一畫以書之　棗　字之重并者屢一畫以書之　十

橫畫較直畫長　七　橫畫較長宜勒不斜則無勢直畫轉而復廻　也　斜策取勢

無　四竪上闊下合四點上合下開點又分向背兩旁分八字中兩點帶就上不可就下

畫　踈密停匀照應為佳發於左者應在右起於上者伏於下此一定法也　用

周 初擘首尾向外次努首尾向右中實左虛右 荼 文 荼上捺放下捺

留乂上捺留下捺放 戈 幾 夕 朋 偏側隨字勢結體 口

曰 一橫一直承上 遠 還 凡之遶裏面須上大下小方能稱 烏

馬 焉 屈勾用意須包末兩點 莫 矢 下畫宜長擻短以點配之

國 固 初直首尾向右次直首尾向左上橫平下偃或上仰直背下平 思

志 心在下者右宜寬 反 及 復 兩擘先長而斜硬後短藏而腕

三九

轉

見貝字須右長中短畫不黏右拳或借勢或用啄拳而出之廬

遞用筆先腕轉而後斜硬四四四豎上開下合而向背点即分焉

民氏長良長趯應右轉處須宕出搭上趯起須畫出鋒右趯捺

應左

乘來東中勾並應上軍宙上冒下上清下濁

里遠下畫承上黍委上下撇點有陰陽之分不分則無上下相

承之意

川心求水形斷意連屋庶老

少從横之擘俱宜長隶呂昌爻上並小棘

絲羽竹左戲淼森上小左戲羔偹寶真

舒左足則不板雖難直畫微向左以應右勢月丹用

周國圍峻拔一角抑左昂右之勾應左喉嘯喟

呼吸左短口取上齊和扣如知右短口取下齊

凡左右多寡不同不可牽强使停勻自因左豎短右勾微長者

有 日月不宜正 文 又不必正對點 雲空 上勾應下 曾

其 曾字上兩點上開下合宜從其字下兩點上合下開宜橫 八州 潛相

矚視 乎手 綽勾 疊醫驚 上重下輕頂戴欲其得勢

倉食 上面不寫波 爪介 踈排之字須展 畺 三排之橫

畫上下分仰覆中平 一乙 蹲鋒輕重須有準 句匊蜀

裏面與勾齊方稱 術衝 三排之字居中者卓然中立而不倚其左右停勻有

拱揖之情岡南田鈎裏勻勾努交賑報荅
其目實左虛右四畫上下分仰覆二三但取其順會金盖下
左右均分行河水上下不用齊々則板接左用尖以久
女必用筆先斜者以側應筆畫處重按崇豈舉左貝
青豎分向背横分大小皆俯仰有情其天夫才首畫
用策仰策仰収而暗揭鳳凰飛擎尾停筆取勢轉筆打畫首作背拋

四十一

我哉 上點對左邊實處不與戍戈諸字同 並工 兩畫上仰下覆

上下 直畫宜短點皆近上凡筆畫之跡者宜豐肥類此 長良

馬 如此等短畫不得與左長直相連 作行 右長 佳於

右短 九見 腕勾應上 非門 字兩相離者欲其黏合此在用意得

頓挫之形 戔 重勾先縮而後出鋒作趯以應 岡内 潛虛半腹 章

爨 增筆 邊 減筆 祕 借筆歐陽醴泉銘借示旁作必字右點 瞻

峰馥時左短小讓右字長大凡字相讓之法無過短小閃藏切忌侵佔

船杠江左長右短字勢順適

麓纏嶽盛之一傍

中中直為柱凡字中擔力之筆為一字之主者謂之柱此筆宜重如不重者當用勁筆字有一柱者有兩柱者有半筆為柱者各舉一字自中字至水字俱論柱法筆之輕者為陽重者為陰凡字中有兩直者宜左細右麄又字中之柱宜粗餘俱宜細此分陰陽之法也

至下畫為柱所謂主筆須平他画則錯綜用意乃不呆板

妙下擎為柱

道（下捺為柱）然（下面左右兩點為柱）夫（以擎之上半截為柱）柱（以左一直及右之下畫為柱）水（中勾為柱）外推韋（上下左右相環向照應）

雲書（上層為主下二層宜收束凡字有兩層者三層者先看以何層為主再寫）榮華（中層為主上下收束）稟蓋益（下層為主上二層宜收束）

輝撫餘（左向右ゝ向左迴環照應神氣一貫凡兩字合成一字者必須各半相配使之相向相讓相接切勿偏全）假班樹

淵 左右二平者必隱其一 非 射 左右兩柱者必隱其一 繇

鑿 駕 三四字合成一字必用打疊躲閃 輙 轉 點畫繁多用假

借法 疋 戈 畫向上斜勾掠有勢 潤 清 水旁在潤宜短在清宜長

珠 瑣 玉旁在珠宜小在瑣宜長大此又通變之方也 是 足 卜居

中撇須横 列 直趯宜用努 綸 糸旁讓右 嚮 留 二停微加饒减

雷 普 上占地步 衆 禹 下占地步 劉 敬 左大而畫

細右小而畫粗騰施故右寬而画瘦左窄而画肥叢上下寬而微扁中間細而多長蕃擲蕃宜兩頭小而画重擲宜中寬大而画輕冠

宅宓上勾短山頭窄小下腕寬大而勾長不與天覆字相類壽

畺黑白均分再求錯綜變化戕旭屈伸取勢朝下平野

上平文又對正中谷琴兩邊貴平展如鳥之舒翼家好

舒向北兆乳相背而脉絡貫通辦中近下讓兩邊

出頭宣尚寧臺展右肩以欠入側者

斜映安宀頭要小奮南寺者真第一筆或策或勒

所井右宜伸下滿可司于字之獨立者必峻拔

遒勁助即郎左高右低若右齊上便不是書小八擊捺

點畫俱相應接麟此中門接不差則遒緊儲言短撇結體乃密

為齋蔣和學書

藝　文　叢　刊

第　六　輯